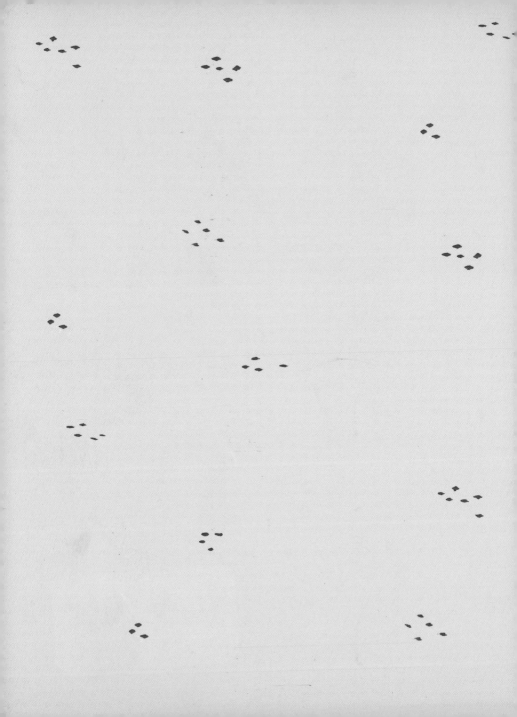

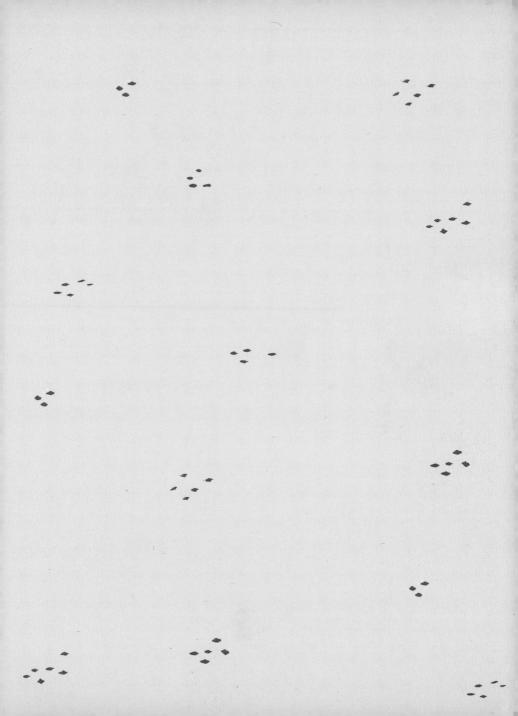

Marta et la bicyclette

Germano Zullo & Albertine

Marta
et la bicyclette

miniHIBOU

LA JOIE DE LIRE

Marta vit dans un village paisible
de trois fermes et de douze habitants.

Marta est une vache orange.
Elle ne ressemble à aucune autre vache à travers le monde.
Monsieur Pincho, son propriétaire, en est très fier.
Dans l'enclos de Monsieur Pincho, l'herbe est délicieuse.
De plus, on a une belle vue sur la colline où passent les trains.
Les copines de Marta adorent les trains, mais Marta n'aime pas
les engins trop bruyants.

Ce dimanche après-midi, c'est la fête.
Une course cycliste traverse le village.
Comme ils vont vite les coureurs, se dit Marta,
comme ils sont jolis, et comme elles sont silencieuses
ces bicyclettes !

Ce même soir, tandis que ses copines rêvent
de devenir conductrices de locomotive,
Marta rêve de devenir cycliste.

Mais pour cela il faut une bicyclette
et elle doute fort que Monsieur Pincho
lui en offre une pour son anniversaire.
Elle se rend donc à la décharge du village
avec une lampe de poche.
Elle a besoin de deux roues, d'un guidon,
d'une selle, de deux pédales et d'un cadre.
L'idéal serait de dénicher une sonnette
qui fasse gling-gling.

DécHARGE

Elle ramène tout l'attirail à la maison.
Dans l'atelier de Monsieur Pincho, elle trouve
un tournevis, un marteau, un pot de colle :
elle assemble sa bicyclette, sans oublier la peinture verte.

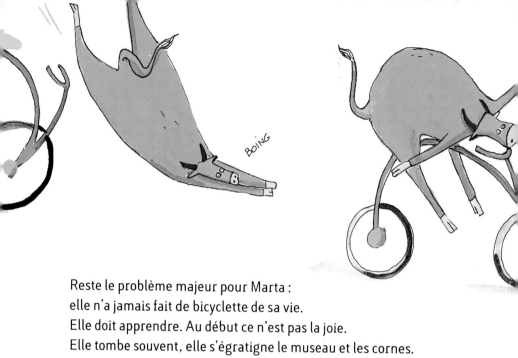

Reste le problème majeur pour Marta :
elle n'a jamais fait de bicyclette de sa vie.
Elle doit apprendre. Au début ce n'est pas la joie.
Elle tombe souvent, elle s'égratigne le museau et les cornes.

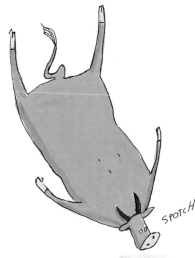

Mais à force de volonté et de courage,
Marta prend de l'assurance. Elle parvient même à réaliser
quelques belles figures acrobatiques, comme le lâcher
de guidon sur un pied ou le lâcher de pédale sur une main.

Une année passe. Marta est désormais très à l'aise sur sa selle. Elle s'inscrit à la grande course cycliste.

Le départ a lieu dans la ville voisine.
Il y a beaucoup de monde, Marta a le trac.
Allez hop ! c'est parti, vaille que vaille.

Très vite, Marta impose son style,
tête baissée, queue relevée,
elle pédale comme une forcenée.
Même le grand champion Ségolin,
trois fois vainqueur de la course,
ne peut l'égaler.

Elle prend le large.
On dirait qu'elle s'envole.

Marta franchit la ligne d'arrivée avec au moins
un kilomètre d'avance sur le gros du peloton.
Un hourra général salue son triomphe.

Elle monte sur la première marche du podium.
Elle reçoit sa médaille : un pneu en or.
Demain, sa photographie sera dans tous les journaux.
C'est la gloire pour Marta.

Elle rentre ainsi au village où l'attendent Monsieur Pincho
et ses copines. Et dans l'enclos, le bel enclos de Monsieur Pincho,
toutes les copines de Marta font de la bicyclette.

Elles ont monté un vrai numéro de cirque.

Zut ! se dit Marta, qui tient beaucoup
à son originalité de vache orange,
si toutes les autres vaches font de la bicyclette,
il va falloir trouver autre chose.

Et c'est alors que dans le ciel
passe une montgolfière.

Retrouvez aussi Marta dans :

Marta au pays des montgolfières
Marta et la pieuvre
Le Retour de Marta

Les Éditions La Joie de lire bénéficient d'un soutien de la Ville de Genève
sous la forme d'une convention de subventionnement.

Publié pour la première fois en 2001
dans la collection Albums, Éditions La Joie de lire

Mise en page : Pascale Rosier et Christelle Duhil

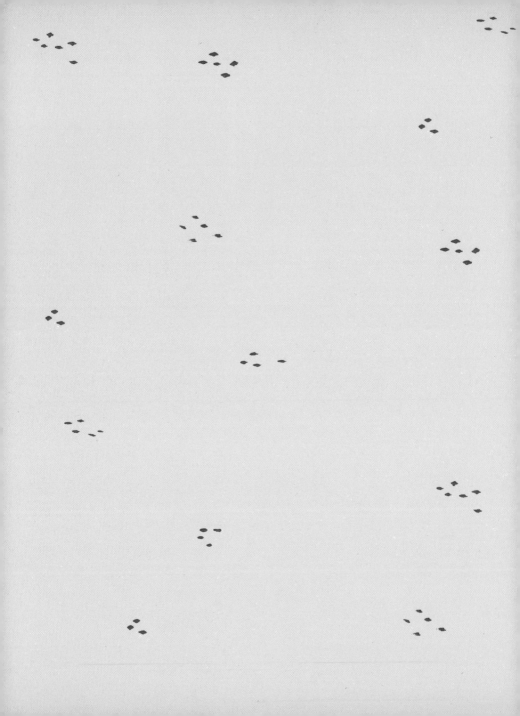

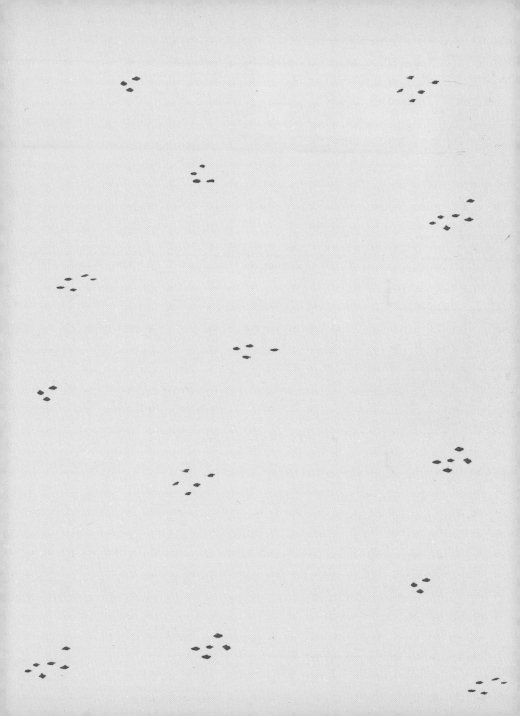